My Book of Words

Mi Libro de las Palabras

Henry Bedford
Chief Executive Officer,
Southwestern/Great American, Inc.

Dan Moore
President, Southwestern Advantage

Editorial Director
Mary Cummings

Managing Editor
Judy Jackson

Senior Editor
Barbara J. Reed

Production Manager
Powell Ropp

Senior Art Directors
Steve Newman • Starletta Polster

Senior Designer
Travis Rader

Illustrator
Matt Carrington

Spanish Translators
María Grunbaum • Debora Lustgarten

ISBN 978-0-87197-583-6

Printed by RR Donnelley,
Dongguan, Guangdong, China

Contents / Índice

Note to parents

Learning to read is an exciting time for you and your child. *My Book of Words* includes vibrant illustrations that will help you and your child match words with the objects they describe. You'll find lots in the book to look at, name, and discuss—from familiar people, feelings, and everyday things to wild animals and strange places.

You may use this book to help your child better understand what he or she is reading and to increase their language skills. Reading to children gives them opportunities to learn both the spoken and written words. Encourage your child to talk about the things that he or she sees in the book. You may also use the characters that appear next to the headings as leaders to take your child through each topic. To learn more about these characters, visit www.SkWids.com.

My Book of Words features text in both English and Spanish. Children who speak only one of these languages can learn words in English and Spanish by reading the text and looking at the pictures on the pages. The book can also be used in families where the parents speak only one of these languages while the child is learning English or Spanish as a second language.

Now turn the page and begin to explore words and language with your child!

Ann K. Watson

M.Ed., Specialty in Early Childhood Education
University of North Carolina at Chapel Hill

Nota para los padres

Aprender a leer es una experiencia fascinante para usted y para su hijo. *Mi Libro de las Palabras* incluye ilustraciones vibrantes que los ayudarán a usted y a su hijo a relacionar las palabras con los objetos que describen. En este libro encontrará mucho para mirar, nombrar y analizar, desde personas, sentimientos y cosas cotidianas familiares, hasta animales salvajes y lugares extraños.

Pueden usar este libro para ayudar a su hijo a comprender mejor lo que está leyendo y mejorar sus habilidades relacionadas con el lenguaje. Al leerles a los niños les da la oportunidad de aprender el lenguaje hablado y el escrito. Alienten a sus hijos a hablar sobre las cosas que vean en el libro. También pueden usar los personajes que aparecen junto a los encabezados como guías para ir llevando a sus hijos de un tema a otro. Para obtener más información sobre estos personajes, visiten www.SkWids.com.

Mi Libro de las Palabras incluye texto en inglés y en español. Los niños que hablan sólo uno de estos idiomas pueden aprender palabras en inglés y español leyendo el texto y mirando los dibujos de las páginas. El libro también se puede usar en las familias en las que los padres hablan sólo uno de estos idiomas, mientras que su hijo está aprendiendo inglés o español como segunda lengua.

¡Ahora, lo invitamos a dar vuelta la página y empezar a explorar las palabras y el lenguaje con su hijo!

Ann K. Watson

M.Ed. Especialidad en Educación en la primera infancia
Universidad de Carolina del Nirte, en Chapel Hill

Wild animals
Los animales salvajes

Wild animals live in nature. What is your favorite wild animal?

Los animales salvajes viven en la naturaleza. ¿Cuál es tu animal salvaje favorito?

giraffe
la jirafa

elephant
el elefante

bear
el oso

snake
la serpiente

frog
la rana

kangaroo
el canguro

giraffe	elephant	bear	snake	frog	kangaroo
la jirafa	el elefante	el oso	la serpiente	la rana	el canguro

lion	monkey	gorilla	seahorse	alligator	zebra
el león	el mono	el gorila	el caballito de mar	el caimán	la cebra

Animal homes
Las casas de los animales

Some animals use homes to protect them from danger.

Algunos animales usan las casas para protegerse del peligro.

tree
el árbol

hive
la colmena

den
la guarida

hive	tree	den
la colmena	el árbol	la guarida

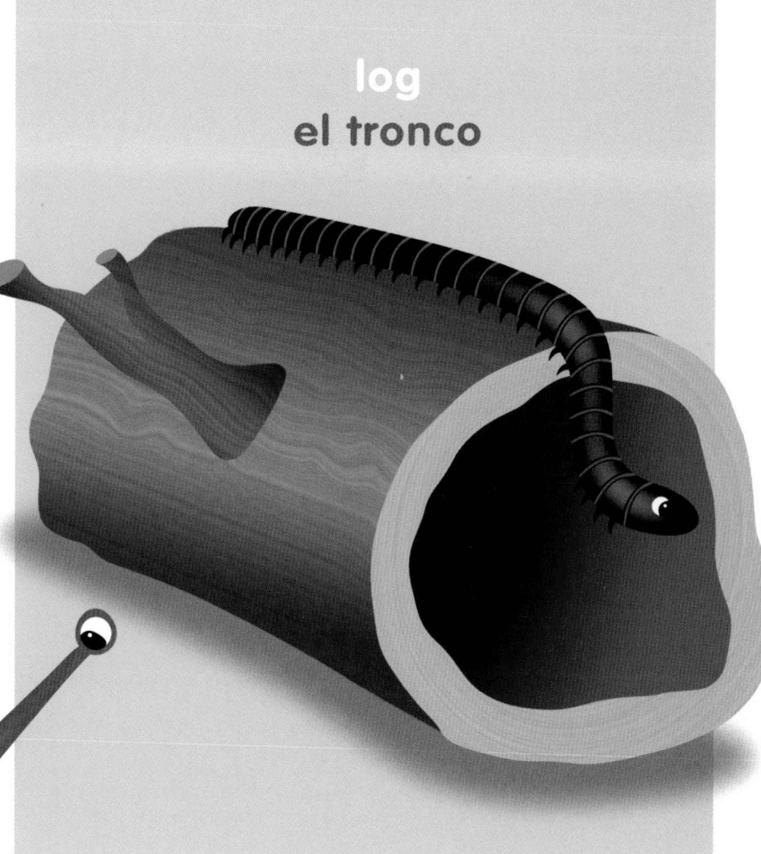

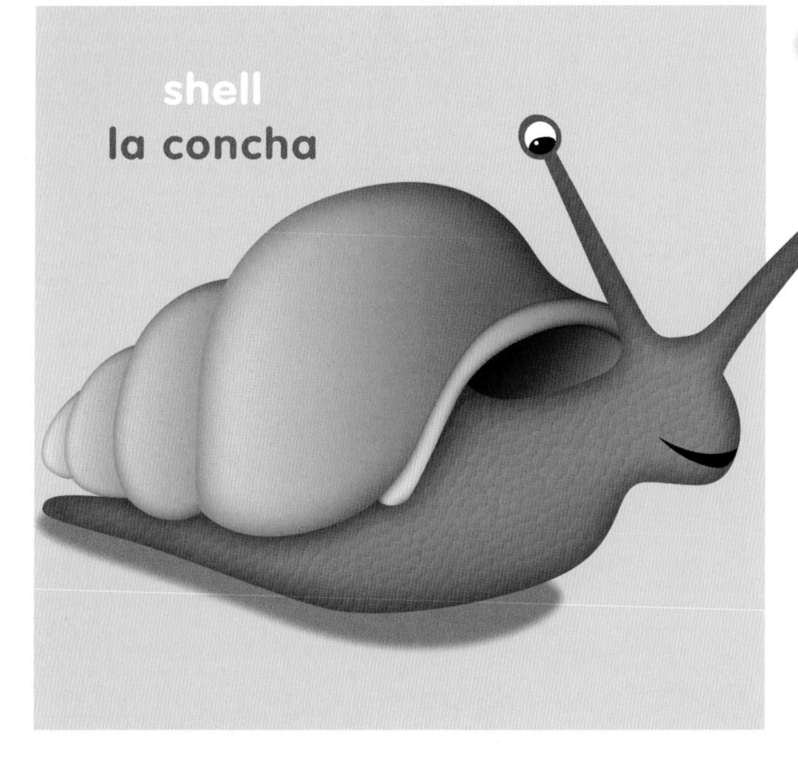

burrow	shell	log	lodge	nest
la conejera	la concha	el tronco	la madriguera	el nido

Animal babies
Los bebés de los animales

Which animal babies hatch from an egg?

¿Los bebés de qué animales salen de un huevo?

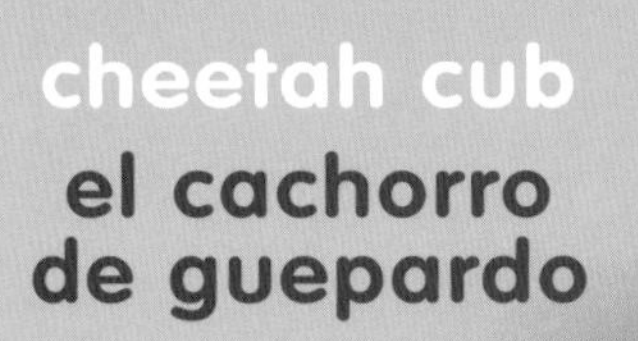

cheetah cub
el cachorro de guepardo

koala joey
el koala bebé

hippo calf
el hipopótamo bebé

caterpillar
la oruga

cheetah cub	koala joey	hippo calf	caterpillar
el cachorro de guepardo	el koala bebé	el hipopótamo bebé	la oruga

opossum kit	tadpole	panda cub	bat pup	duckling
la zarigüeya bebé	el renacuajo	el cachorro de oso panda	el murciélago bebé	el patito

Plants Las plantas

Plants are living things. Most plants need air, water, sunshine, and soil to grow.

La mayoría de las plantas necesitan aire, agua, luz solar y suelo para crecer.

flower	petal	stem
la flor	el pétalo	el tallo

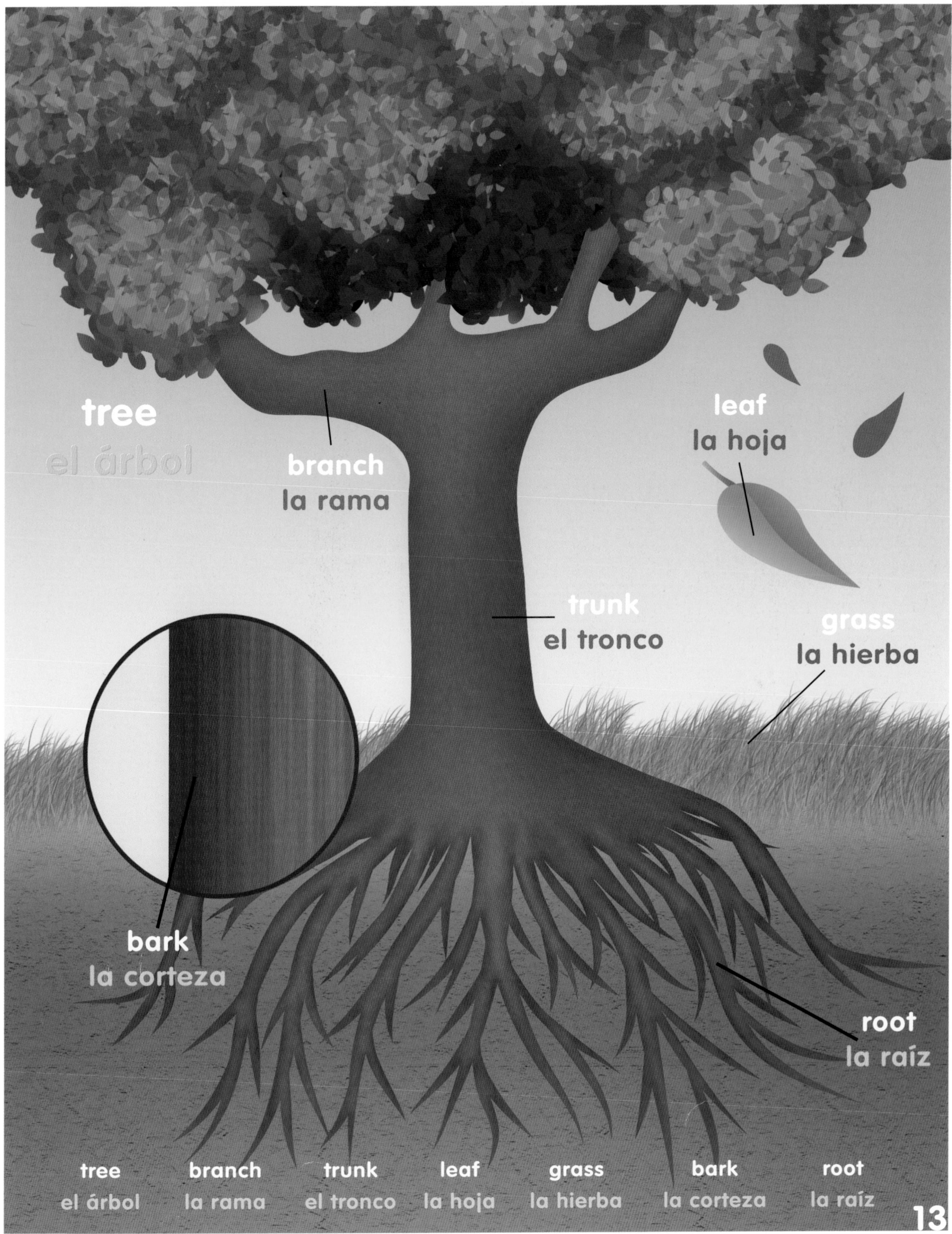
tree
el árbol
branch
la rama
leaf
la hoja
trunk
el tronco
grass
la hierba
bark
la corteza
root
la raíz
tree
el árbol
branch
la rama
trunk
el tronco
leaf
la hoja
grass
la hierba
bark
la corteza
root
la raíz

Features of the land
Características de la tierra

Features of the land come in all shapes and sizes.

Las características de la tierra son de todas las formas y tamaños.

cave	desert	ocean	island
la cueva	el desierto	el océano	la isla

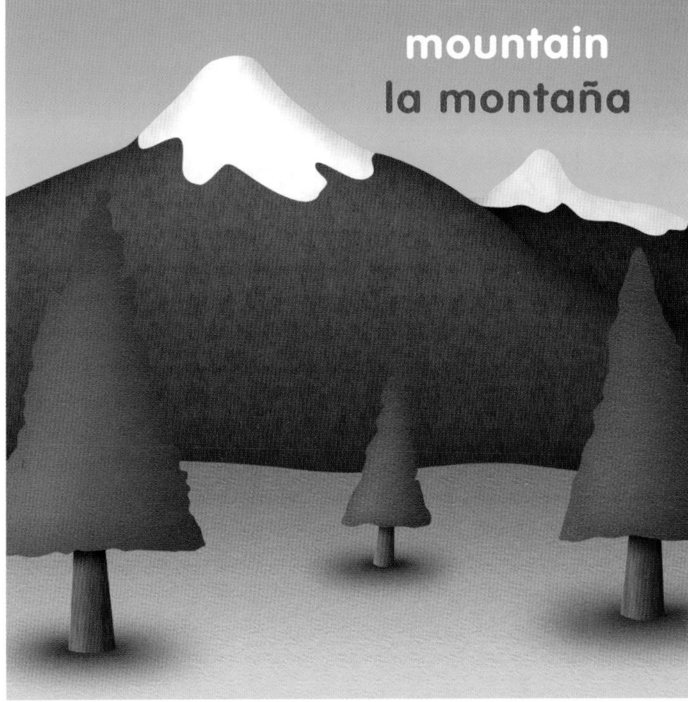

plain	mountain	river	valley	volcano
la planicie	la montaña	el río	el valle	el volcán

Weather
El tiempo

Weather describes what it is like outside.

El tiempo describe como está fuera de casa.

rain
la lluvia

ice
el hielo

sunshine
el sol

rain	ice	sunshine	fog
la lluvia	el hielo	el sol	la niebla

lightning
los rayos

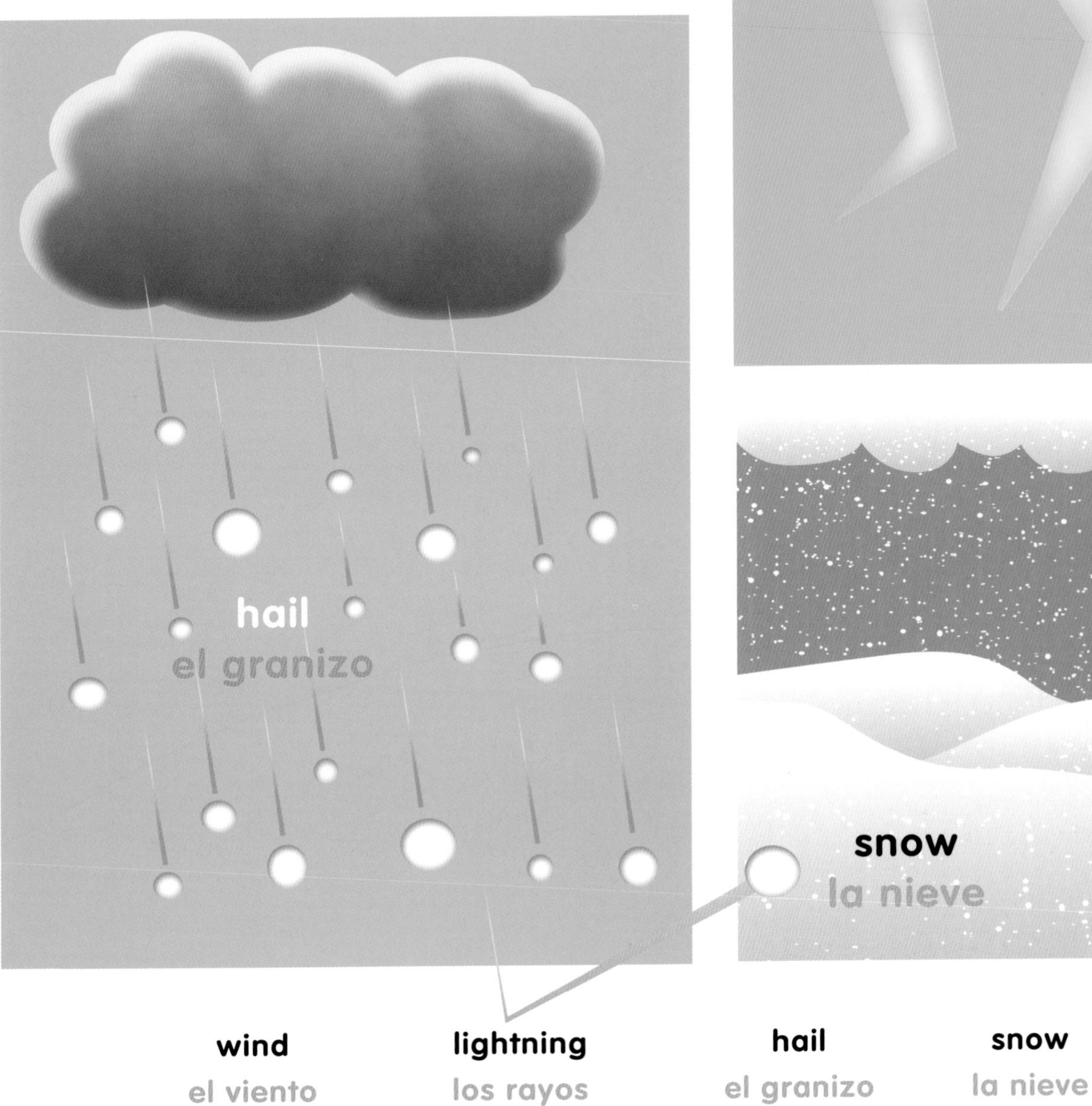

wind	lightning	hail	snow
el viento	los rayos	el granizo	la nieve

Seasons Las estaciones

Seasons bring changes in weather.

Las estaciones producen cambios en el clima.

Spring Primavera

Summer Verano

Fall Otoño

Winter Invierno

In a rain forest
En una selva tropical

Many kinds of plants and animals live in a rain forest.

En una selva tropical viven muchas clases de plantas y animales.

toucan
el tucán

jaguar
el jaguar

fern
el helecho

stream
el arroyo

vine
la vid

monkey
el mono

snake
la serpiente

tree
el árbol

frog
la rana

My body
Mi cuerpo

The human body is made up of many parts.

El cuerpo humano está compuesto por muchas partes.

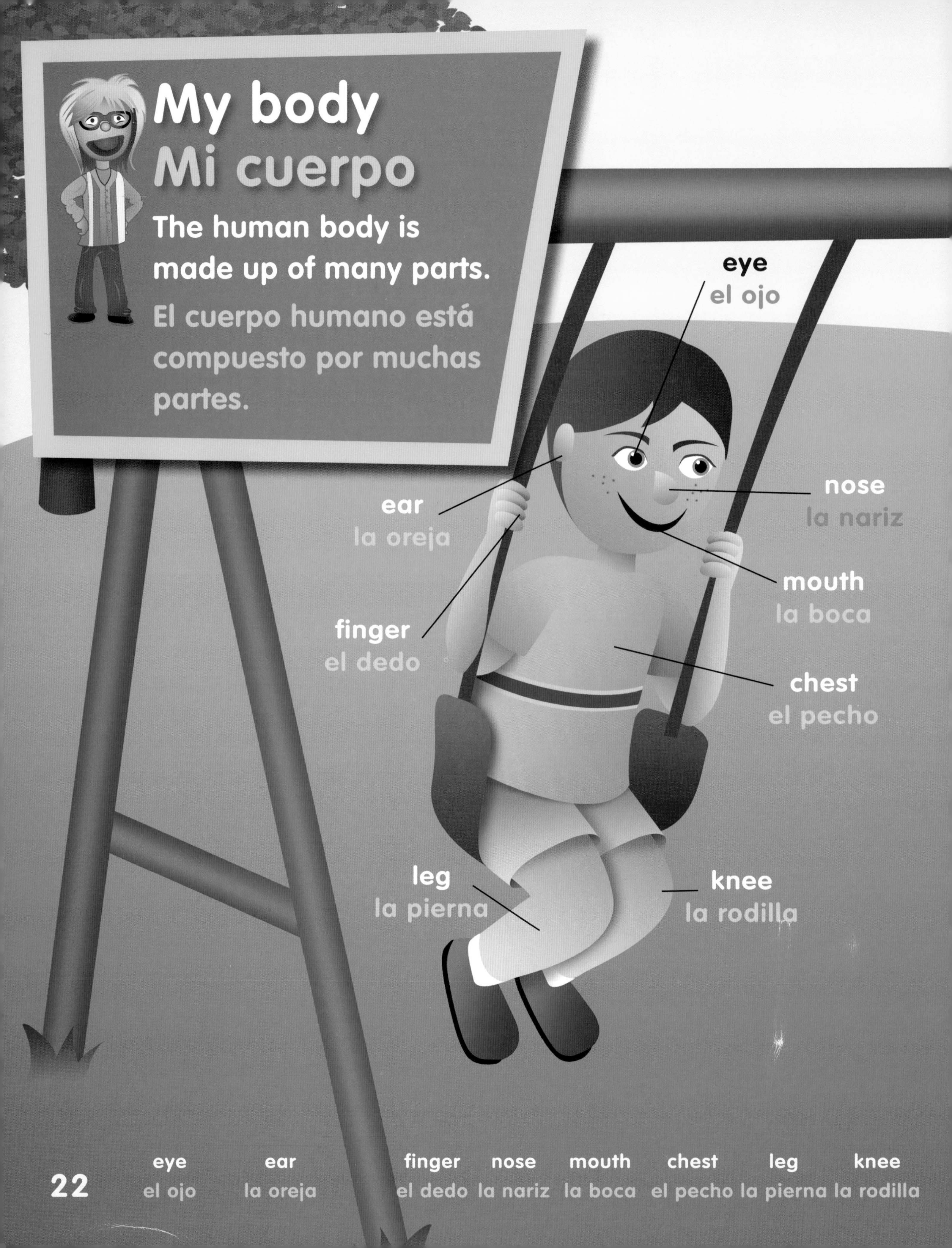

eye	ear	finger	nose	mouth	chest	leg	knee
el ojo	la oreja	el dedo	la nariz	la boca	el pecho	la pierna	la rodilla

hair	head	face	arm	elbow	foot	ankle	toe
el cabello	la cabeza	la cara	el brazo	el codo	el pie	el tobillo	el dedo del pie

Staying healthy
Mantenerse saludable

The pictures on this page show activities that can help you to stay healthy.

Las imágenes de esta página muestran actividades que pueden ayudarte a mantenerte saludable.

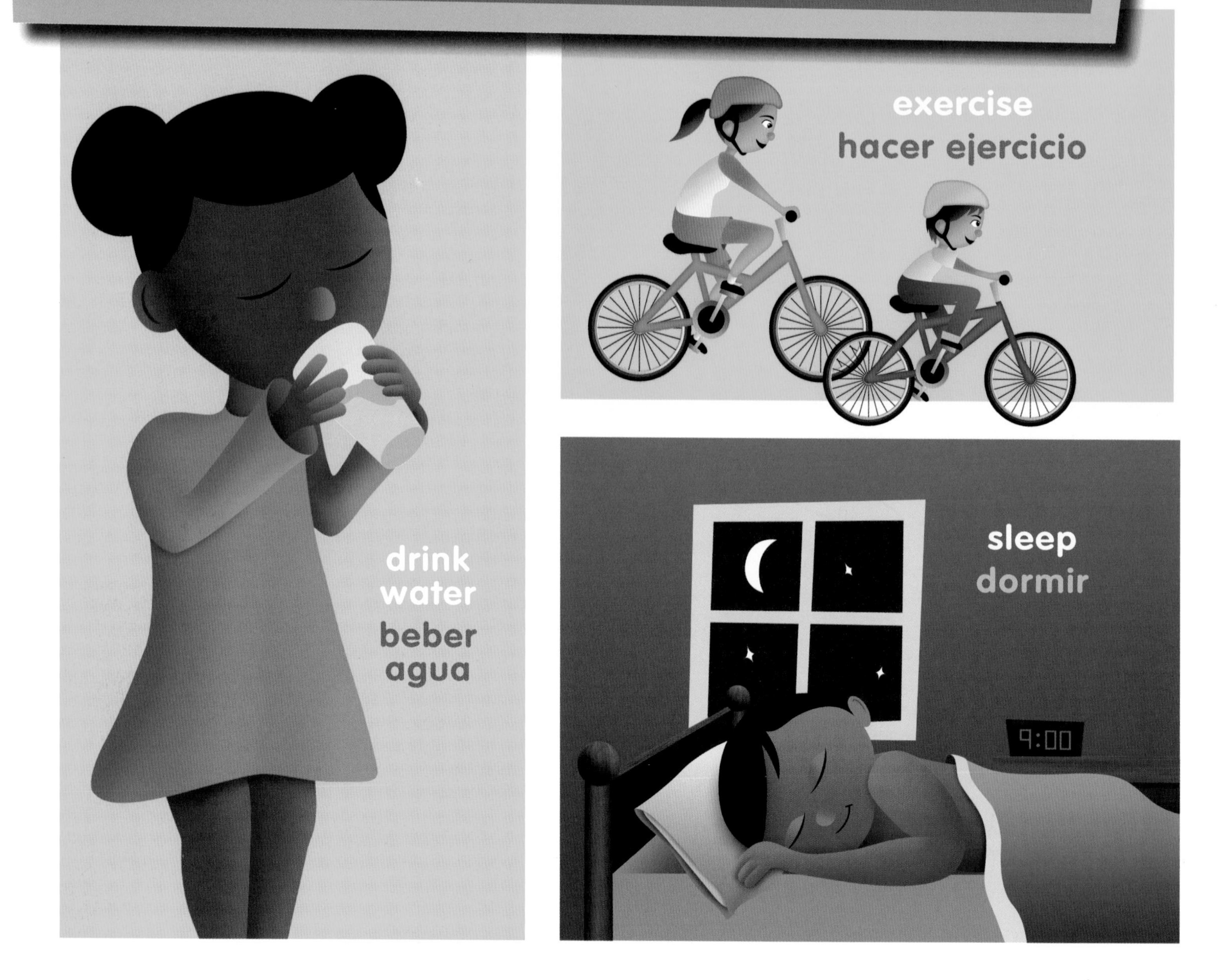

drink water beber agua

exercise hacer ejercicio

sleep dormir

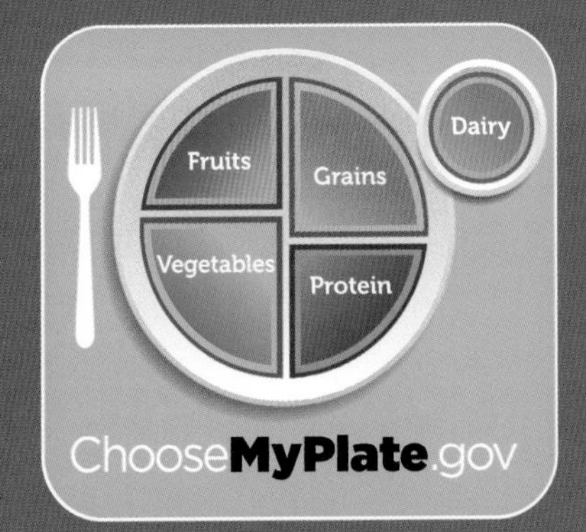

Eating from the five food groups helps the body to stay healthy.

Comer los cinco grupos de alimentos ayuda al cuerpo a mantenerse saludable.

grains
cereales

vegetables
hortalizas

fruit
frutas

dairy
lácteos

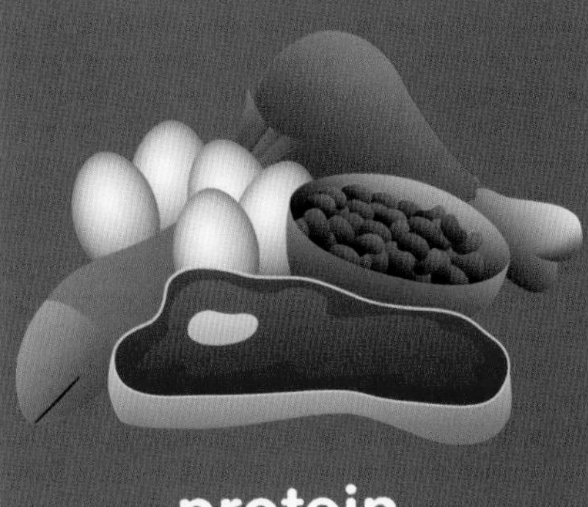

protein
proteína

grains	vegetables	fruit	dairy	protein
cereales	hortalizas	frutas	lácteos	proteína

Clothing La ropa

Clothing helps protect the body. It is also worn for decoration.

La ropa ayuda a proteger el cuerpo. También se usa con fines decorativos.

mitten	scarf	tie	skirt	hat	shoes	belt
el mitón	la bufanda	la corbata	la falda	el sombrero	los zapatos	el cinturón

coat	sweater	dress	socks	shirt	jeans
el abrigo	el suéter	el vestido	los calcetines	la camisa	los jeans

Feelings
Los sentimientos

Feelings describe how we feel inside.

Los sentimientos describen lo que sentimos adentro.

surprised	happy	confused	calm	shy
sorprendida	contenta	confundida	tranquila	tímida

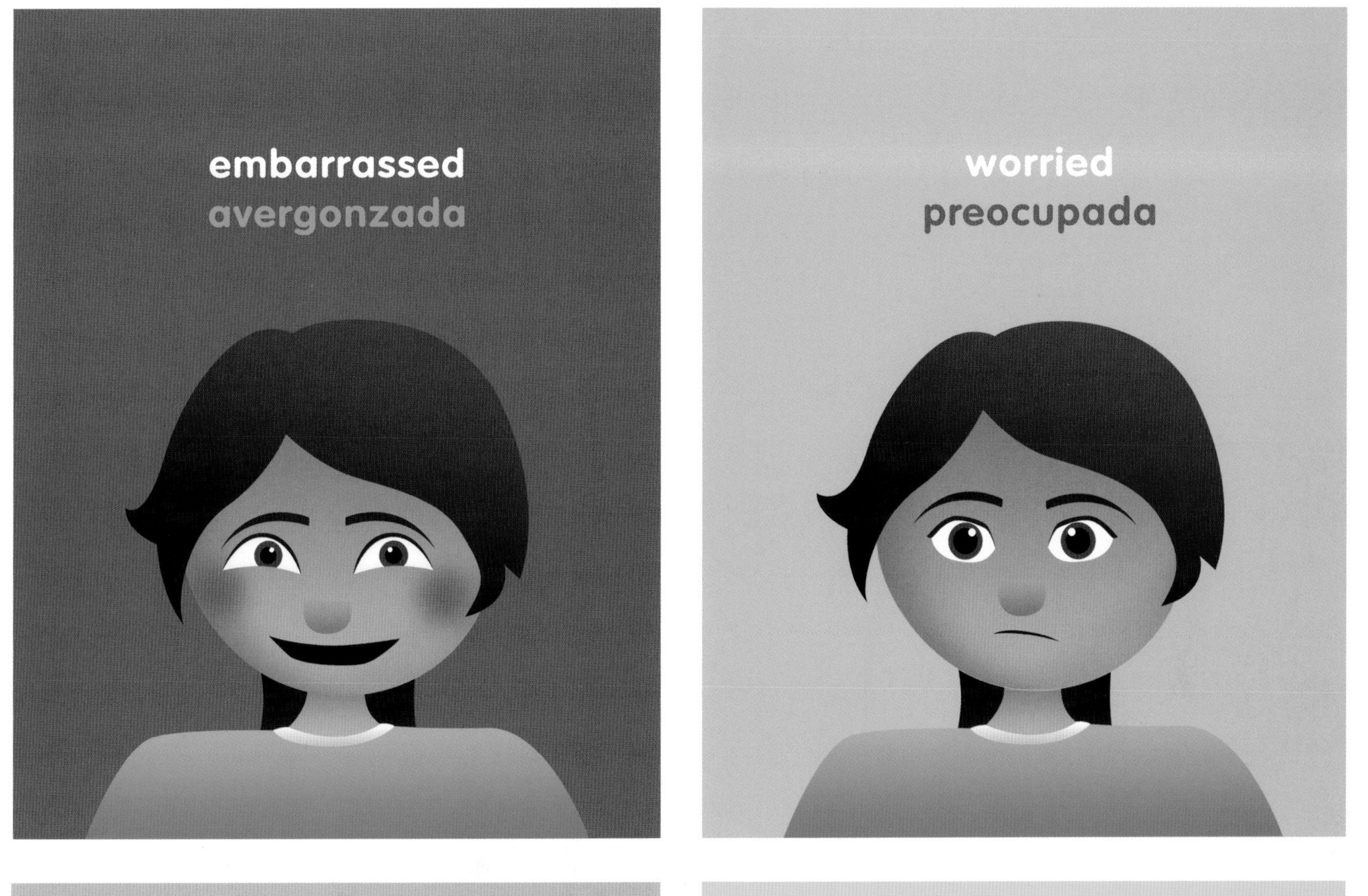

angry
enojada

embarrassed	worried	sad	angry
avergonzada	preocupada	triste	enojada

Hobbies
Pasatiempos

Hobbies are things we do for fun.

Los pasatiempos son cosas que hacemos por diversión.

reading books
leer libros

playing sports
practicar deportes

painting
pintar

camping
acampar

reading books	playing sports	camping	painting
leer libros	practicar deportes	acampar	pintar

playing games	playing outside	making music	dancing
jugar juegos	jugar al aire libre	tocar un instrumento	bailar

Sports
Los deportes

Sports are a great way to have fun and stay healthy.

Los deportes son una excelente manera de divertirse y mantenerse saludable.

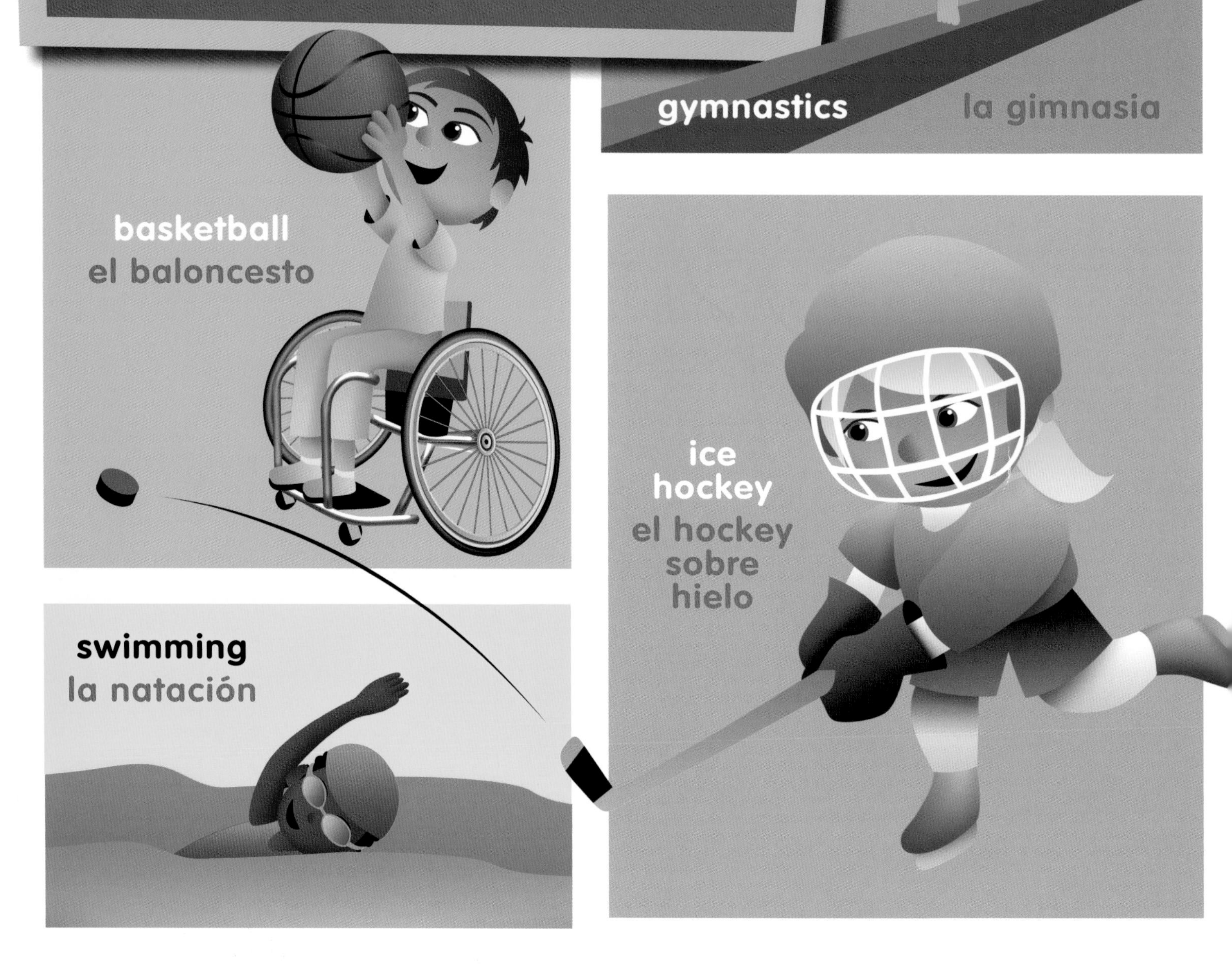

gymnastics	basketball	swimming	ice hockey
la gimnasia	el baloncesto	la natación	el hockey sobre hielo

skiing	soccer	track	football	ice skating	baseball
el esquí	el fútbol	las carreras	el fútbol americano	el patinaje de hielo	el béisbol

Pets Las mascotas

What is your favorite pet?

¿Cuál es su mascota favorita?

cat
el gato

dog
el perro

rabbit
el conejo

hamster
el hámster

cat	dog	gerbil	rabbit	hamster
el gato	el perro	el jerbo	el conejo	el hámster

horse	fish	mouse	hermit crab	bird	guinea pig
el caballo	el pez	el ratón	el cangrejo ermitaño	el pájaro	el conejillo de Indias

Family members
Los integrantes de la familia

Families can be large or small.

Las familias pueden ser grandes o pequeñas.

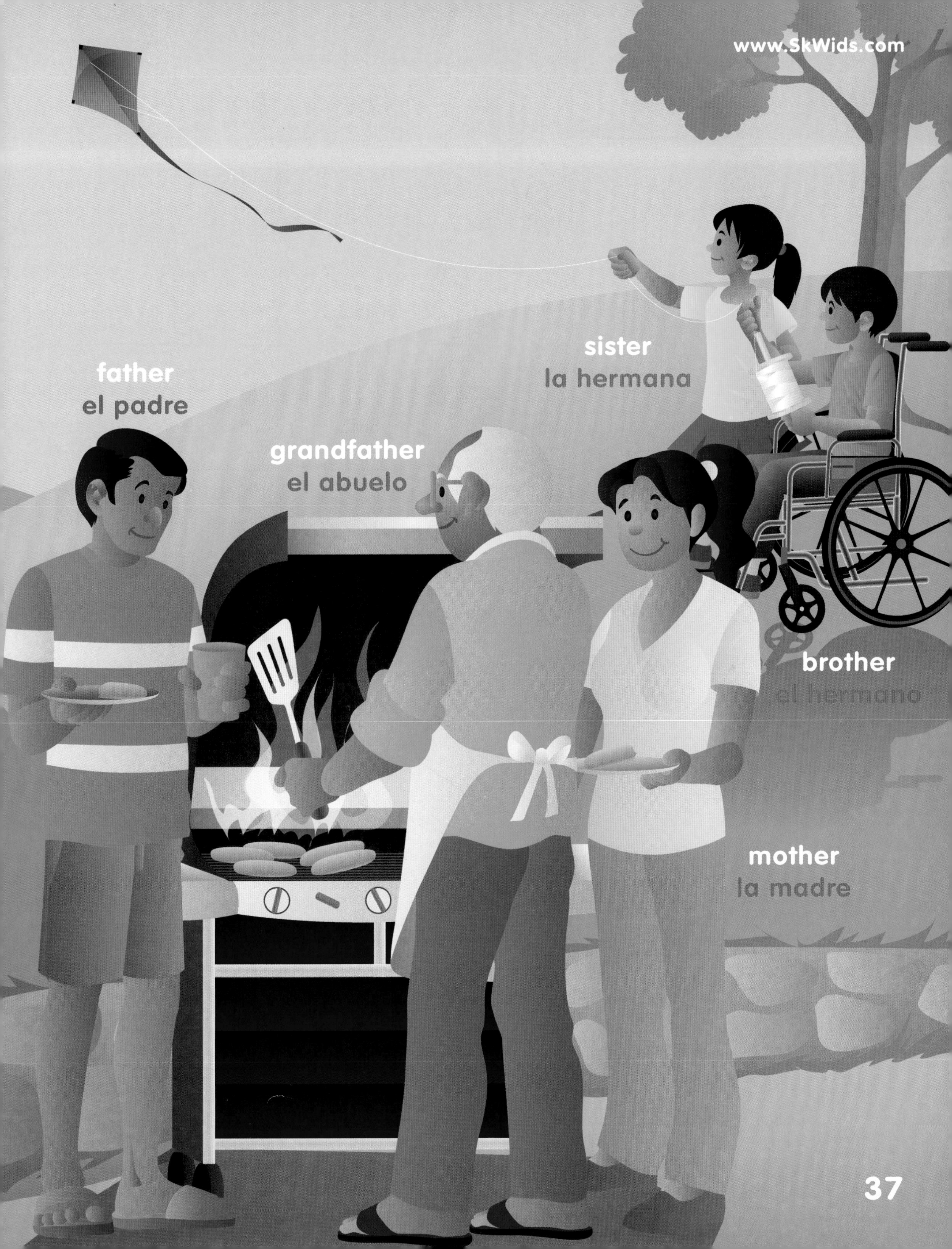
father
el padre
grandfather
el abuelo
sister
la hermana
brother
el hermano
mother
la madre

Community helpers
Los trabajadores comunitarios

Many people have jobs that help people in the community.

Muchas personas tienen trabajos que ayudan a la gente de la comunidad.

garbage collector
el recolector de basura

teacher
el maestro

police officer
la policía

mail carrier
el cartero

nurse
el enfermero

teacher	garbage collector	nurse	mail carrier	police officer
el maestro	el recolector de basura	el enfermero	el cartero	la policía

doctor	lawyer	utility worker	firefighter	bus driver
la médica	la abogada	el trabajador de servicios públicos	el bombero	la conductor del autobús

Getting around
Formas de desplazarse

People can travel from place to place in many different ways.

Las personas pueden ir de un lugar a otro de muchas formas diferentes.

bus
el autobús

motorcycle
la motocicleta

boat
el barco

rollerblades
los patines

bus	**motorcycle**	**boat**	**rollerblades**
el autobús	la motocicleta	el barco	los patines

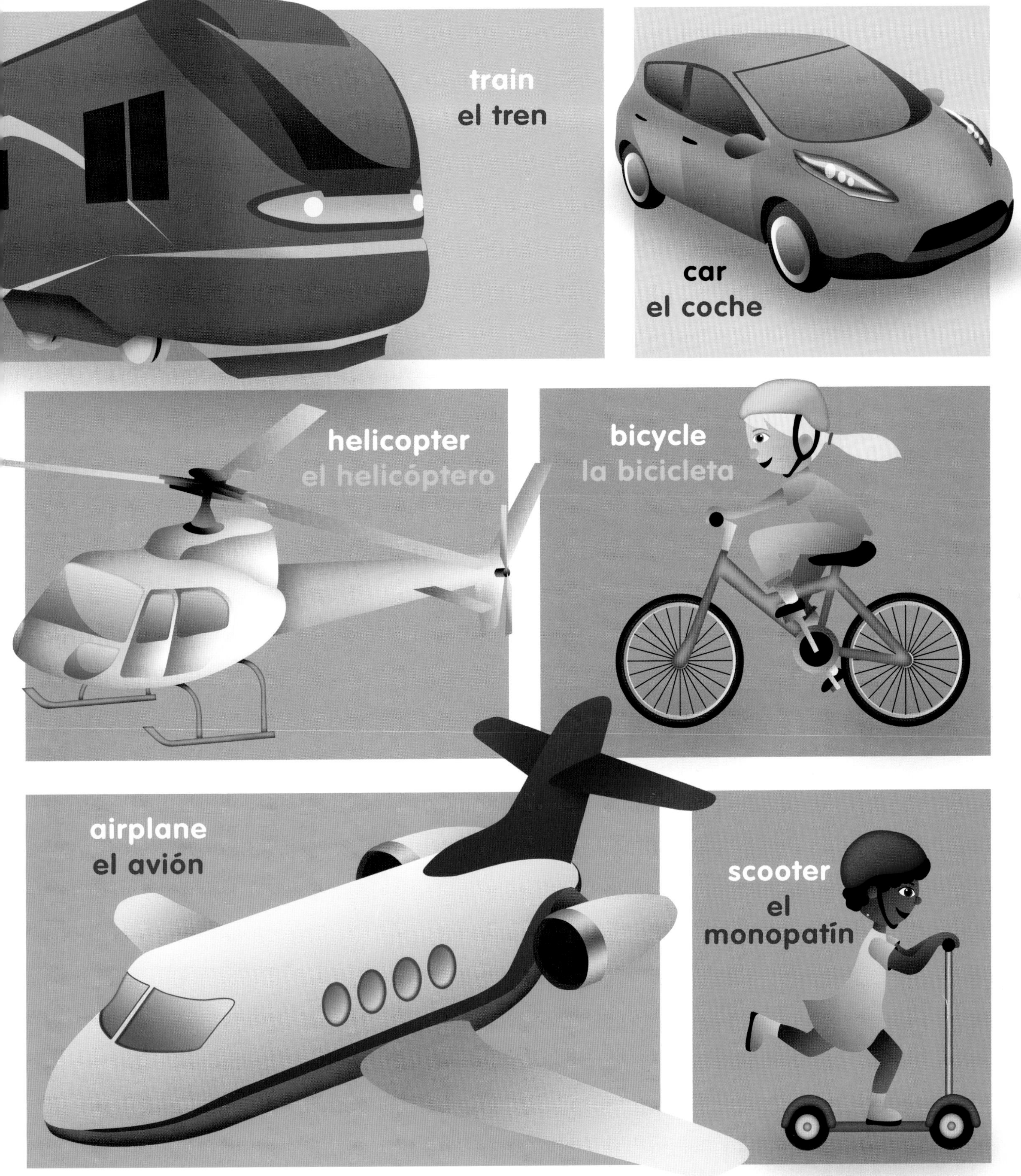

train	car	helicopter	bicycle	airplane	scooter
el tren	el coche	el helicóptero	la bicicleta	el avión	el monopatín

Around town
Por la ciudad

It's a busy day around town! What people and objects do you see?

¡Es un día ajetreado en la ciudad! ¿Qué personas y objetos puedes ver?

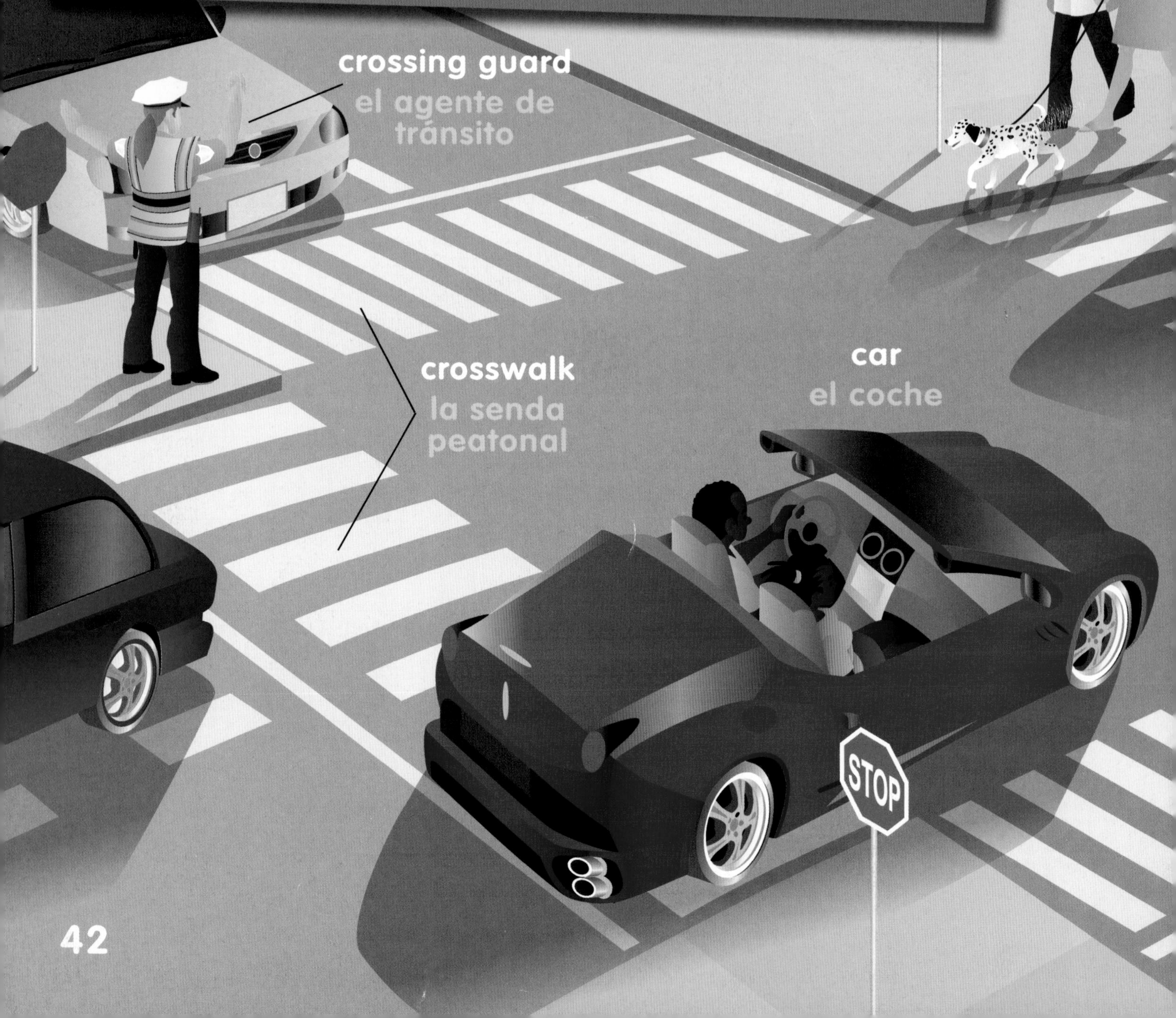

crossing guard
el agente de tránsito

crosswalk
la senda peatonal

car
el coche

STOP

ladder
la escalera
firefighters
los bomberos
fire truck
el camión de bomberos
stop sign
la señal de alto
STOP
vendor
el vendedor
Newspaper Stand
mother
la madre
child
el niño
bicycle
la bicicleta

Games Juegos

The grid on page 45 shows many different shapes and objects. Look carefully at the grid and follow the instructions below.

La cuadrícula de la página 45 muestra muchas formas y objetos diferentes. Mira con atención la cuadrícula y sigue las instrucciones que aparecen a continuación.

1. Count the caterpillars.
2. Count the ducklings.
3. Count the cars.
4. Count the skirts.
5. Count the objects that are clothing.
6. Count the baby animals.
7. Count the wild animals.
8. Count the animals that are pets.
9. Count the animals that live in water.
10. Count the things that you find in nature.
11. Count the things that are made by people.
12. Count the things that are orange.
13. Count the things that are yellow.
14. Count the vehicles.
15. Name all of the different objects!

1. Cuenta las orugas.
2. Cuenta los patitos.
3. Cuenta los coches.
4. Cuenta las faldas.
5. Cuenta los objetos que son ropa.
6. Cuenta los animales bebés.
7. Cuenta los animales salvajes.
8. Cuenta los animales que son mascotas.
9. Cuenta los animales que viven en el agua.
10. Cuenta las cosas que encontramos en la naturaleza.
11. Cuenta las cosas hechas por las personas.
12. Cuenta las cosas anaranjadas.
13. Cuenta las cosas amarillas.
14. Cuenta los vehículos.
15. ¡Nombra todos los objetos diferentes!

Look again!
¡Mira de nuevo!

These two pictures are not exactly the same. Can you find the eight things that are different in the second picture?

Estos dos dibujos no son exactamente iguales. ¿Puedes encontrar las ocho diferencias en el segundo dibujo?

Words activities
Actividades con las palabras

As a parent or guardian, you can engage your child in activities that teach about words and language. Here are ways that you can help to build your child's language skills through everyday learning experiences:

- Talk often with your child and listen to her ideas. Each time you do, you reinforce her understanding of language and introduce new vocabulary and concepts.
- Ask your child to name different foods, clothes, animals, or objects while you eat meals, dress, shop, and take walks. Point out different colors, textures, scents, sounds, sizes, and shapes.
- Make up games to help your child learn new letters, sounds, and words, such as a simple rhyming game. For example, write the word bat across the top of a sheet of paper. Ask your child to say the word and then think of other words that rhyme with it (hat, cat, rat). Repeat this exercise with other words from the book.
- Sit with your child and invite her to write something that relates to content from the book. Or, you can ask your child to help you decide what to write and sound out the words together. Younger children may copy or trace your handwriting to practice letter formation. They could also draw a picture to communicate their ideas. Older children may sound out words and spell words with inventive spelling (when children write the letters that they hear in words).

Como padre o tutor, usted puede hacer que su hijo participe en actividades que enseñen las palabras y el lenguaje. Estas son formas en que puede ayudar a desarrollar las habilidades del lenguaje de su hijo mediante experiencias de aprendizaje cotidianas:

- Hable a menudo con su hijo y escuche sus ideas. Cada vez que lo haga, reforzará su comprensión del lenguaje e introducirá nuevo vocabulario y nuevos conceptos.
- Pídale a su hijo que nombre diferentes alimentos, ropas, animales u objetos en las comidas, al vestirse, ir de compras y salir a caminar. Señale diferentes colores, texturas, olores, sonidos, tamaños y formas.
- Invente juegos para ayudar a su hijo a aprender nuevas letras, sonidos y palabras, como un simple juego de rimas. Por ejemplo, escriba la palabra boca en la parte de arriba de una hoja. Pídale a su hijo que diga la palabra y que luego piense en otras palabras que rimen con ella (foca, roca, toca). Repita este ejercicio con otras palabras del libro.
- Siéntese con su hijo e invítelo a escribir algo que esté relacionado con el contenido del libro. O bien, pídale a su hijo que le ayude a decidir qué escribir y pronuncien las palabras juntos. Los niños más pequeños pueden copiar o calcar su escritura para practicar la formación de las letras. También pueden hacer un dibujo para comunicar sus ideas. Los niños más grandes pueden pronunciar las palabras y deletrearlas de manera ingeniosa (cuando los niños escriben las letras que escuchen en las palabras).

Answer key
Clave de respuestas